le ballon

le maillot de bain

le seau

les moules

la pelle

la mare

T'choupi

les crevettes

l'épuisette

le coquillage

Un personnage de Thierry Courtin
Couleurs : Françoise Ficheux

Loi n°49-956 du 16 juillet 1949
sur les publications destinées à la jeunesse,
modifiée par la loi n°2011-525 du 17 mai 2011.
© 2003 Éditions NATHAN/VUEF.
© 2012 Éditions NATHAN, SEJER, pour la présente édition.
25 avenue Pierre de Coubertin, 75013 Paris
ISBN : 978-2-09-253720-6
Achevé d'imprimer en janvier 2015
par Lego, Vicence, Italie
N° d'éditeur : 10211232 - Dépôt légal : février 2012

T'choupi
à la plage

Illustrations
de Thierry Courtin

Nathan

Il fait beau aujourd'hui !

va à la plage avec ses parents

T'choupi

et sa petite sœur ... .

Fanni

Il va bien s'amuser !

Maman déroule une  et papa

déplie le 🏖️ .

parasol

T'choupi, lui, s'est déjà mis en 🩳 .

maillot de bain

– La mer est haute, crie-t-il, je vais

me baigner !

T'choupi court vers la mer.

Il saute par-dessus les grosses  .

vagues

Fanni, elle, préfère se baigner

dans une petite  .

mare

Puis avec sa  et son ,

pelle seau

T'choupi construit un beau château

au bord de l'eau.

– Voilà, Doudou, c'est toi le roi du château !

– Heureusement que la mer descend !

dit maman.

T'choupi aime bien jouer au
ballon

avec sa maman et son papa.

Il y a aussi des  pour jouer
raquettes

au badminton, mais Fanni ne veut

les prêter à personne aujourd'hui !

C'est l'heure du goûter !

Maman donne des  à T'choupi.

gâteaux

Papa sert sa ![compote] à Fanni.

compote

– Fanni, dit T'choupi, si tu me laisses

un peu de compote, je te donne

un de mes gâteaux.

La mer est basse, maintenant.

Dans le sable mouillé, T'choupi cherche

des  et des .

coques   couteaux

Il faut bien regarder et puis creuser !

Un peu plus loin, T'choupi voit

des  accrochées aux rochers.

moules

Un petit  s'enfuit

crabe

quand il s'approche trop près de lui.

Tout au bord de l'eau, T'choupi pêche

des 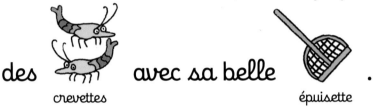 avec sa belle .

crevettes   épuisette

– Papa, vite, donne-moi un seau,

j'en ai attrapé plein !

– Bravo, dit papa, on va faire un bon repas !

Mais T'choupi ne veut pas manger

les crevettes : il préfère les relâcher

dans une mare, au milieu des

anémones de mer

et des  .

algues

T'choupi trouve un magnifique 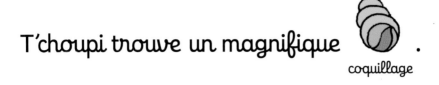 .

coquillage

Quand il le met contre son oreille,

il entend la mer.

– Tu vois papa, je vais le rapporter

à la maison, celui-là : je suis sûr

qu'on ne le mangera pas !

**Retrouve sur ce dessin
tout ce que T'choupi a vu...**

la serviette
le maillot de bain
la pelle
le seau
l'épuisette
les raquettes
le ballon
les vagues
les coques
les couteaux
les moules
le crabe
les crevettes
l'anémone de mer
les algues
les coquillages

Et dans la même collection ...